© 1999 Albin Michel Jeunesse – 22, rue Huyghens 75014 Paris
Loi 49-956 du 16 juillet 1949 sur les publications destinées à la jeunesse.
Dépôt légal : second semestre 1999
N° d'édition : 11556
ISBN : 2-226-10178-0
Imprimé à Singapour

JACQUES DUQUENNOY

LES FANTÔMES
ET LA SORCIÈRE

ALBIN MICHEL JEUNESSE

C'est le jour.
Dans la grande chambre
du château,

Henri, Lucie, Georges et Édouard dorment.

Lucie qui adore
se déguiser s'est endormie
avec son chapeau
de sorcière.

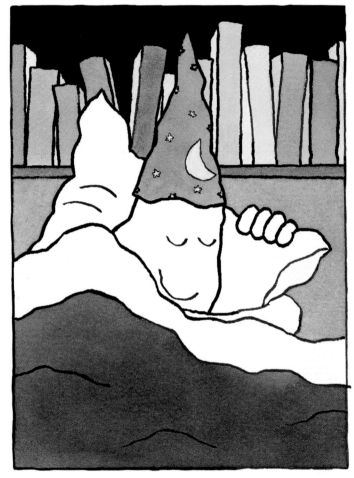

Mais son sommeil
est agité :
elle se tourne d'un côté,
se retourne de l'autre.

Pendant ce temps-là, dans un autre château,

une sorcière fabrique une poupée de chiffon.

Elle lui plante une aiguille dans la fesse.

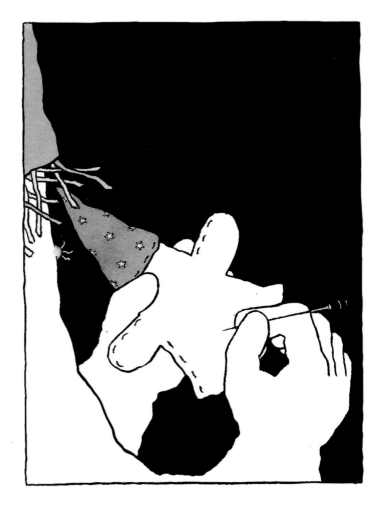

Voilà Lucie qui se lève !!!

Elle lui met
des petits chaussons…

Lucie en met aussi !

Lucie grimpe sur la chaise,

monte sur la fenêtre…

La sorcière dépose
un petit peu de colle
sous ses chaussons…

Lucie descend le long du mur !

– Et maintenant,
que la nuit commence !

La sorcière accroche la Lune…

La nuit tombe !

La sorcière s'amuse
comme une petite folle :
– Ha, ha, saute !

Lucie saute…

– Allez, plonge !

Lucie plonge…

La sorcière s'arrête un instant
et se retourne pour mélanger sa soupe.

Lucie continue
son chemin toute seule.

La sorcière
revient à sa poupée :
– Tiens, monte
sur ce balai, maintenant !

Lucie pose le pied dessus,

et zouuu…

elle s'envole vers le château

de la sorcière !

– Ha ha ha, approche,
ma petite Lucie,
je t'attendais…

Il ne manque plus

qu'un seul ingrédient pour ma soupe : toi !

La sorcière lève la main
pour jeter la poupée
dans la marmite.

Le petit crapaud,
qui a sauté dans la poche
de Lucie, crie :

– Stop !

La poupée et Lucie se sont arrêtées net.

– Regarde, sorcière,
je t'ai apporté
un petit cadeau !

– De la citrouille ?
Hmm… J'adore trop ça !

Et hop, elle la prend…

Et croc, elle la mange…

Et vlouf, elle se transforme en citrouille !

Le petit crapaud
enlève tout doucement
l'aiguille qui est plantée
dans la fesse de la poupée.

À ce moment-là,
Lucie se réveille.
Elle fait un petit :
– Aïe !

mais… qu'est-ce que je fais ici ?

Elle comprend alors qu'elle a été envoûtée par la sorcière.

À son tour,
Lucie prend la poupée,
la pose
sur le petit balai…

et s'envole dans la nuit!

– Mais… tu nous avais caché tes talents de sorcière !
s'écrient Henri, Georges et Édouard.

– Oh ! je suis juste une petite débutante !

Sacrée Lucie !